Comme il adore parler en public, Nicolas lit des livres
à tous ses amis qui veulent bien l'écouter.
Ce jour-là, il commence…

Blanche-Neige

Il était une fois une reine un peu sorcière qui,
chaque matin, interrogeait son miroir magique :
« Miroir, mon beau miroir, dis-moi qui est la plus belle en ce royaume ?
– Vous, ô ma reine ! » répondait-il poliment.
Mais un jour, le miroir perdit patience et déclara :
« Majesté, Blanche-Neige, la fille du roi votre mari,
est beaucoup plus belle que vous ! »
Jalouse, la reine donna aussitôt l'ordre à un chasseur
de tuer la jeune fille.
Comme il avait bon cœur, il l'épargna,
et la belle fut recueillie par sept gentils nains.

Trouve les 5 différences entre la reine et son reflet dans le miroir.

(La couronne, la bague, la bouche, la boucle d'oreille, le bracelet.)

Compte combien de pommes et de grenouilles la méchante reine possède.

(6 pommes et 4 grenouilles.)

Quand la reine l'apprit, elle se déguisa en vieille paysanne
et fila lui apporter une pomme empoisonnée.
« Ah ! non, pas encore le coup de la pomme ! s'écrie Nicolas.
Il faut sauver Blanche-Neige ! »
Prêt à dire ses quatre vérités à cette méchante pour l'arrêter,
Nicolas bondit avec joie dans le livre…
Et il atterrit devant la sorcière tout étonnée.

Aussitôt, Nicolas se lance dans un discours passionné :
« Blanche-Neige a le droit d'être super-jolie,
ça ne vous enlève RIEN DU TOUT à vous,
et blablabli et blablabla, et patati et patata…

– Je n’y comprends rien ! crie la vilaine.
Pousse-toi de là, microbe ! »
Et hop, la sorcière fait tourbillonner Nicolas
et file sur son balai magique !

En tourbillonnant, Nicolas a perdu ses chaussures, peux-tu l’aider à les retrouver ?

(Sur le balcon et sur le chaudron.)

Regarde bien ces flocons de neige, certains sont roses, combien ?

(Il y a 9 flocons roses.)

Nicolas fait quelques tours sur lui-même et reste un peu sonné.
Il n'y a pas de temps à perdre, Blanche-Neige est en danger.
Il faut foncer !

Mais comment diable rattraper la méchante reine ?
Comme il n'y a pas de taxis ni de bus dans cette forêt de conte de fées,
il s'accroche au cou d'une cigogne qui passait par là
pour gagner du temps.

L'animal volant aimerait beaucoup aider Nicolas mais, pas de chance, un virage un peu brutal pour éviter un arbre et… catastrophe, Nicolas est projeté dans les airs ! Il tooooombe… directement dans les bras des sept nains.

Les nains sont très bien équipés pour travailler à la mine, combien ont-ils d'outils ? (10 outils. Le dernier est accroché à la ceinture d'un nain sur la page de droite.)

Ouf ! Plus de peur que de mal !
Nicolas en profite pour leur raconter ce qui se passe.
Tous se mettent à courir : il faut sauver Blanche-Neige !

Lorsqu'ils arrivent, tout essoufflés, à la chaumière,
Blanche-Neige est sur le point de croquer la pomme…
« Non, non ! s'écrie Nicolas.
Cette pomme a l'air bonne, mais elle a été empoisonnée !
Méfie-toi de la méchante reine !
Et blablabli et blablabla, et patati et patata…

 Le chat de la méchante reine n'est jamais bien loin, peux-tu le trouver ?

(Il est sur la branche en haut à gauche.)

– STOP, petit garçon ! crie la reine. Un peu de silence ! »
Et se tournant vers Blanche-Neige, elle ordonne en souriant :
« Croque donc cette belle pomme, ma mignonne… »

Gourmande, Blanche-Neige s'apprête à obéir.
Nicolas se lance alors dans un nouveau discours rempli de gestes
de mises en garde et de *blablabli et blablabla, et patati et patata*.
Convaincue par ces paroles, Blanche-Neige jette le fruit :
« OK, OK, j'oublie cette pomme ! »
Furieuse, la sorcière se met alors à tout casser
dans la maison des sept nains.
Bing ! Bang ! Fric ! Frac !
Que faire pour que cette méchante laisse
Blanche-Neige tranquille pour toujours ?

Combien d'objets sont présents en double dans cette page ?

(5 : les bols, les casseroles, les fauteuils, les lampes, les fleurs violettes)

 Observe les vêtements, l'un des nains a perdu quelque chose...

(La ceinture du nain à droite de Nicolas.)

Les nains se pressent autour de Nicolas. Il va bien réussir encore un beau discours ! Nicolas se lance avec cœur :
« Madame la reine, je comprends que c'est super énervant que Blanche-Neige soit plus jolie que vous, mais elle a le droit de vivre quand même, non ? Vous seriez peut-être plus heureuse en allant habiter dans un autre royaume ? »

 Trouve l'intrus parmi les outils des nains.

(Le deuxième nain à droite de Nicolas brandit une banane !)

Tout contents, les sept nains brandissent leurs outils :
« Bien parlé, bravo Nicolas !
On vous construit un beau carrosse pour y aller
si vous voulez, tiré par nos biches ! »
Comme la reine écoute, stupéfaite, Nicolas ajoute :
« Je suis sûr que vous pouvez être gentille aussi...
Vous n'êtes pas que méchante ! »

La reine n'en revient pas de tant de bienveillance.
C'est si nouveau pour elle ! Et Nicolas le bavard
est tellement convaincant !
La jalousie de la sorcière fond comme neige au soleil.
Délivrée de sa colère, elle monte sur son balai,
et vloum, disparaît d'un coup !

 Quel animal arrive vers Blanche-Neige et les sept nains ?
(Un cheval.)

 Cherche une scie, un marteau et une couronne.

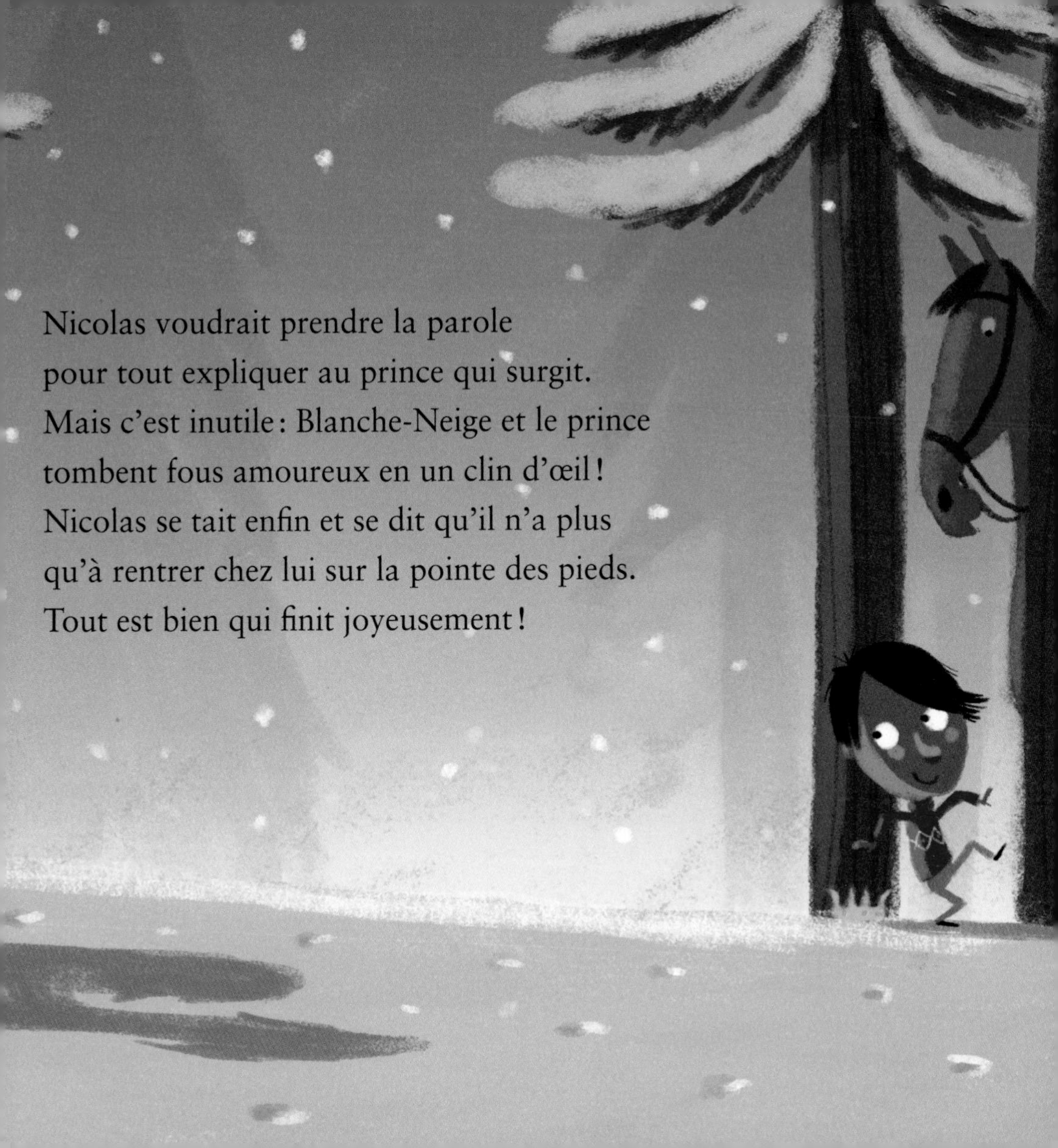

Nicolas voudrait prendre la parole
pour tout expliquer au prince qui surgit.
Mais c'est inutile : Blanche-Neige et le prince
tombent fous amoureux en un clin d'œil !
Nicolas se tait enfin et se dit qu'il n'a plus
qu'à rentrer chez lui sur la pointe des pieds.
Tout est bien qui finit joyeusement !

 Chaque enfant endormi a un doudou, sauras-tu leur rendre chacun le leur ?

(Chaque enfant a un point commun avec son doudou. Par exemple : sa coiffure ou ses vêtements...)

Nicolas se souviendra longtemps de cette folle journée passée dans la forêt de Blanche-Neige.
Décidément, les moulins à paroles sont parfois bien utiles, pas vrai ?
Et rien dans la vie n'est jamais écrit d'avance !

On peut lire partout et tout le temps. Et toi, comment lis-tu?